1

A... aaa...
Aaaaattention !

— A... Aaa... Aaaaa... tchoum !

Le roi Léon regarda vite à gauche puis à droite. Le couloir était désert. Tant mieux ! Ainsi, personne ne l'avait entendu. En hiver, les courants d'air se faufilaient partout au palais et on s'enrhumait facilement. Le roi frissonna. Il valait mieux ne pas s'attarder.

Il repartit, mais un peu plus loin le nez lui piqua.

— A... Aaa... Aaaaa... tchoum !

— À vos souhaits, Sire.

Le roi Léon se retourna vivement. Derrière lui arrivait le loris[1] Jinal, Grand Charpentier du royaume. Le roi se précipita à sa rencontre.

— Chut ! Taisez-vous, malheureux.

Maître Jinal fronça les sourcils.

— Pourquoi donc, Majesté ?

---

1. Petit animal qui vit dans les forêts tropicales d'Asie et se nourrit de fruits.

— La Grande Infirmière pourrait vous entendre. Avec des oreilles comme les siennes, elle entendrait une plume tomber sur un oreiller. Et si elle apprend que j'ai attrapé un rhume, alors…

Le roi s'arrêta et frémit.

— Alors ?

— C'est terrible. J'en ai la chair de poule rien que d'y penser. Moi, un lion, avoir la chair de poule ! Alors, elle me forcera à boire son affreuse tisane au citron.

À cette pensée, Maître Jinal eut lui aussi un frisson.

— Celle qui donne l'impression que la bouche rapetisse à l'intérieur quand on la boit ?

— Exactement.

— Quelle horreur !

— Promettez-moi de ne rien dire, supplia le roi.

— Vous avez ma parole, Sire.

Le Grand Charpentier s'éloigna avec ses outils, abandonnant notre héros à ses angoisses.

Le roi Léon se demanda s'il n'était pas plus prudent de regagner sa chambre. Il y passerait la journée au chaud, à ranger les billes de sa collection. Demain, il irait sûrement mieux. L'idée lui plaisait. Il emprunta donc le couloir en sens inverse. Il allait tourner le coin quand le nez lui chatouilla encore. « Non, non, non », pensa-t-il en le bouchant d'une patte. Mais il était déjà trop tard. Le roi Léon crut que sa tête gonflait si fort qu'elle allait exploser. Il enleva les doigts de son nez pour relâcher la pression.

— Aaaaa… tchoum !

Ah ! que cela faisait du bien.

Soudain, une voix retentit, loin devant lui.

— Quelqu'un a éternué ? Quelqu'un a la grippe ?

Catastrophe ! La Grande Infirmière. Le roi prit sa cape à son cou et fila à la recherche d'une cachette.

2

Du balai !

— Que faites-vous dans mon placard ?

L'ourse Kilé, la Grande Ménagère, n'était pas contente. Elle détestait qu'on touche à ses affaires.

Le roi Léon prit un balai et l'examina.

— J'inspecte le matériel pour voir s'il est en bon état, mentit-il.

— Sortez de là immédiatement.

Le roi pencha la tête prudemment hors du placard.

— Vous êtes seule ?

— Évidemment, quelle question !

— La Grande Infirmière n'est pas là ?

Le regard de la Grande Ménagère devint méfiant.

— Aha ! Je comprends mieux ce que vous fabriquez là-dedans. Vous n'auriez pas un rhume, par hasard ?

Le roi Léon se redressa et sortit du cagibi[1] en époussetant sa cape.

— Un rhume ? Moi ! Jamais de la vie. Je me porte à merveille.

Dame Kilé mit les pattes sur ses hanches et se pencha vers lui.

— Alors, pourquoi me demandez-vous où est la Grande Infirmière ?

Le roi grommela.

---

1. Un *cagibi* est une petite pièce où l'on range des objets.

— C'est sa tisane au citron. Elle m'en fait toujours boire pour un oui ou pour un non. Je déteste le citron.

— Allons, un grand lion comme vous. Le citron est excellent pour la santé. Surtout quand on est enrhumé.

Le roi protesta.

— Puisque je vous dis que je ne suis pas malade.

Dame Kilé agita son plumeau sous le nez du roi.

— Je ne vous crois pas.

— Mais enfin, alla… allala… allalala… tchoum !

— Je le savais. Je savais que vous mentiez. Vous êtes grippé. Il faut vous soigner.

Le roi s'efforça de la calmer.

— Mais non, c'est la poussière sur votre plumeau qui m'a fait éternuer. Je suis allergique à la poussière.

Malheureusement, la Grande Ménagère ne l'écouta pas. Elle se mit à crier très fort :

— Dame Kafé ? Où êtes-vous, Dame Kafé ? Notre bon Sire est malade.

Comprenant qu'il ne pourrait l'empêcher d'alerter la Grande Infirmière, le roi retroussa sa cape et s'enfuit vers les cuisines.

3

Vieille recette

Le roi Léon n'avait jamais couru si vite. Il claqua la porte des cuisines derrière lui et souffla, ce qui fit se retourner Maître Alé, gorille de son état et Grand Cuisinier du royaume.

— Ah ça, Majesté. Il est bien trop tôt pour le goûter. Que se passe-t-il ? Vous êtes hors d'haleine.

Le roi agrippa le grand singe par les pans de sa blouse.

— Maître Alé, sauvez-moi. Parmi vos recettes, vous en avez certainement une qui guérit le rhume.

— Croquez un citron.

Le roi secoua la tête.

— Tout mais pas ça. Je ne supporte pas le citron.

Le Grand Cuisinier se gratta la tête.

— Hum ! Mon arrière-grand-mère m'a bien parlé d'un remède, cependant je ne l'ai jamais essayé.

— Préparez-le-moi, je vous en supplie.

— Si vous insistez… Attendez que je me rappelle. Oui, cela me revient. Voilà. Deux cuillerées à soupe de vinaigre, une bonne pincée de poivre rouge, un piment fort haché menu, du raifort[1], de la moutarde et

---

1. Le *raifort* est un légume-racine comme la carotte, au goût de moutarde très prononcé.

du jus d'oignon. Bien mêler le tout avec un rien de farine.

Le Grand Cuisinier versa la pâte dans un petit pot qu'il donna au roi.

— Tenez.

— Merci, Maître Alé.

Le gorille tourna le dos au roi pour ranger ses ustensiles.

— Surtout, n'en prenez pas beaucoup. C'est très puissant. Vous avez compris, Majesté ?

Mais le roi n'entendit pas. Il était déjà parti, tellement il avait hâte d'essayer le remède.

4

Hou là là !

Le roi Léon était presque arrivé à sa chambre quand il rencontra Maître O'Nomm, le Grand Pianiste.

— Bonjour, Sire.

— Bonjour, Maître O... Ooo... Ooooo... tchoum !

À peine avait-il éternué qu'une voix appela :

— Majesté, c'est vous ? Vous êtes enrhumé ?

Enfer ! Encore la Grande Infirmière. Elle arrivait. Plus moyen de lui échapper.

Le roi regarda le Grand Pianiste droit dans ses gros yeux de hibou.

— Dites comme moi, Maître O'Nomm, entendez-vous ? Sinon, il y aura un Grand Pianiste de moins au palais.

L'ânesse Kafé, Grande Infirmière du royaume, parut au même instant.

— Ah ! Vous voilà, Sire. Je me demandais où vous étiez. Dame Kilé m'a conté que vous aviez la grippe.

Le roi Léon sentit un frisson lui parcourir le dos jusqu'à la nuque. Il déclara :

— Moi ? Pas du tout.

— Mais j'ai entendu éternuer.

— C'est Maître O'Nomm. Il a pris froid. N'est-ce pas, Maître O'Nomm, c'est vous qui avez éternué ?

— Mais non.

Le roi lui jeta un œil menaçant.

— Euh… si, c'est moi qui ai éternué.

Dame Kafé se tourna vers le pauvre hibou.

— C'est curieux, quand vous êtes enroué, votre voix ressemble à celle d'un lion. Il ne faut pas rester comme ça, Maître O'Nomm. Venez, je vais vous préparer une bonne tisane.

— Ce n'est pas la peine, c'est un tout

petit rhume de rien du tout. Je ne veux pas vous déranger pour si peu. D'ailleurs, je préfère prendre de la glace. C'est très bon pour la grippe.

La Grande Infirmière haussa les sourcils.

— De la glace ? C'est ridicule.

— Non, je vous assure. Je crois que c'est le froid. Il tue les microbes.

— Ne dites pas de sottise. Ma tisane est bien plus efficace.

Le Grand Pianiste voulut résister, mais Dame Kafé s'obstina. Elle tira le malheureux Maître O'Nomm par l'aile et l'emmena avec elle.

Le roi en profita pour se sauver. Son rhume devait absolument disparaître et il allait employer les grands moyens pour cela.

5

Chaud
et froid

Dans sa chambre, le roi Léon allait essayer le remède du Grand Cuisinier quand une idée lui traversa l'esprit. Maître O'Nomm n'avait-il pas déclaré que le froid tuait les microbes?

— Deux précautions valent mieux qu'une, se dit-il.

Il appela donc un domestique pour qu'il aille chercher de la glace. Beaucoup de glace.

Le serviteur revint peu après, armé de

quatre seaux débordant de glaçons. Le roi ordonna :

— Posez-les dans la salle de bains et laissez-moi.

Une fois seul, le roi enleva sa cape et s'étendit dans la baignoire.

— Je vais me couvrir de glace. Ensuite, je prendrai le médicament. Les microbes n'y survivront pas.

Il souleva un seau et en vida le contenu sur lui. Brrrr ! Quel froid !

Ensuite, il renversa le deuxième seau. Puis le troisième, et enfin le dernier car il ne faisait jamais les choses à moitié. Seule sa tête émergeait maintenant de sous la glace. Le roi avait si froid qu'il ne pouvait s'empêcher de grelotter. Et quand il tremblait, les

glaçons s'entrechoquaient avec un bruit de castagnettes[1]. Le roi bégaya :

— Et mainmain… maintete… maintenant le mémé… le médicaca… le médica-

---

1. Petit instrument de musique constitué de deux plaquettes de bois qu'on fait claquer ensemble du bout des doigts.

ment de Maîmaî… de Maîtratra… de Maître Alé.

Quand il ouvrit la bouche, il faillit se mordre les doigts tellement il claquait des dents.

Au lieu d'en prendre juste un peu, le roi Léon avala la pâte au complet. Il eut aussitôt l'impression qu'un volcan entrait en éruption dans son gosier. Le vinaigre, le poivre, le piment, le raifort et la moutarde brûlaient tout sur leur passage !

Quelle bêtise avait-il encore commise ? Il était gelé dehors et calciné dedans. Sa fourrure bleuissait sous les glaçons, mais s'il ouvrait la gueule il en sortirait sans aucun doute de la fumée.

Le roi eut envie d'abandonner puis se reprit. Pas question qu'il faiblisse devant des microbes. C'était une question de principe. Il ne sortirait pas de la baignoire avant qu'ils soient tous morts !

Une heure plus tard, le chat Chacha, Grand Chambellan du moment, frappa à la porte de la chambre. Comme personne ne répondait, il entra. Un bruit étrange sortait de la salle de bains. On aurait dit des castagnettes ! Curieux, il alla voir et découvrit le roi Léon, le corps bleu de froid et la tête rouge de fièvre.

Maître Chacha courut immédiatement chercher la Grande Infirmière.

6

Lama,
lama et lama

— *D*on et *d*on. Quand je dis « *d*on », c'est
*d*on !

Dame Kafé croisa les pattes et tapa du pied.

— Vous n'êtes pas raisonnable, Majesté.
Un bol de tisane et, demain, tout sera fini.
C'est une grosse fièvre. Il faut vous soigner.

— Je vais *b*e soigner, *b*ais je *d*e boirai pas
de tisa*d*e au citron. Un point, c'est tout !

Le roi avait de la difficulté à parler avec le
nez bouché. Il prononçait les « n » comme
des « d » et les « m » comme des « b ».

— Qu'on aille chercher les Grands *Bé*-decins.

Le palais comptait trois Grands Mé-decins, des lamas qui avaient pour noms Juscul, Nivel et Tantaline.

La Grande Infirmière partit, de mauvaise humeur, aussitôt remplacée par les Grands Médecins. Après s'être fait tâter, toucher, palper, triturer pendant cinq minutes, le roi Léon s'impatienta :

— Alors ?

— C'est le coryza, dit le lama Juscul.

— … l'influenza, corrigea le lama Nivel.

— … le rhume, quoi, termina le lama Tantaline.

— Nous allons vous préparer une lotion, annonça le premier.

— … une décoction, fit le deuxième.

— … une potion, quoi, finit le dernier.

Et ils partirent. Ils revinrent peu après avec leurs médicaments. Le roi demanda :

— Qu'est-ce que c'est ?

— Quelque chose qui va vous rétablir.

— … vous retaper.

— … vous faire sortir du lit, quoi.

Le premier déboucha un flacon et le tendit au roi.

— Tenez, Sire. Buvez ça.

Le roi obéit et s'exclama :

— Pouah ! Que c'est *b*auvais.

Le deuxième Grand Médecin lui remit aussi une petite bouteille.

— Tenez, Sire. Avalez ça.

Le roi s'exécuta en grimaçant :

— Beurk ! C'est dégoûtant.

Le lama Tantaline lui tendit une troisième fiole.

— Tenez, Sire. Prenez ça, quoi.

Le roi eut envie de refuser avant de se rappeler la terrible tisane au citron. Finalement, il essaya une minuscule gorgée.

— Tiens ! C'est bon. J'en reprendrais

bien un peu, fit-il en se pourléchant les babines.

Tout à coup, il se sentait épuisé. Les Grands Médecins expliquèrent :

— Ce sont les remèdes, Majesté. Ils font dormir. Reposez-vous. Quand vous vous réveillerez, vous serez guéri.

Le roi se coucha, sourire aux lèvres, en pensant à la tête de la Grande Infirmière. Ha ! Ha ! Plus jamais il ne boirait sa tisane au citron !

7

Pâtes atra !

Le roi se réveilla deux heures plus tard. Pour savoir si son rhume avait disparu, il fit un test et déclama très vite :

— Ma maman n'aime ni mon anneau ni mon ananas mais ma nounou[1] si.

Ah ! Il prononçait de nouveau les « m » et les « n » correctement. Il était guéri.

Le roi Léon s'étira. Il se sentait en pleine forme. À cet instant, on cogna à la porte.

— Entrez.

---

1. Nourrice en langage enfantin.

Le Grand Chambellan pénétra dans la pièce. Il s'approcha, ses yeux s'agrandirent, puis il s'arrêta. Inquiet, le roi demanda :

— Pourquoi faites-vous cette tête-là ?

Maître Chacha bafouilla :

— Euh, il vaut mieux que vous constatiez par vous-même, Sire.

Le Grand Chambellan courut chercher un miroir et le donna au roi. Quand celui-ci se vit, un cri d'effroi lui échappa : les poils de sa somptueuse crinière avaient gonflé et perdu leur belle couleur fauve. Tout blancs, ils ressemblaient maintenant à des spaghettis ! Le roi rugit :

— Qu'on amène les Grands Médecins sur-le-champ.

Les trois lamas furent bien embêtés en constatant l'état du roi.

— C'est un malheureux effet secondaire…

— … un trouble inattendu…

— … une petite complication, quoi.

Le roi gronda :

— Faites quelque chose. Je ne peux pas me promener dans le palais ainsi. On dirait qu'on a renversé un plat de nouilles sur ma tête. C'est indécent.

Les Grands Médecins approuvèrent :

— Nous allons vous donner une gélule…

— … une capsule…

— … une pilule, quoi.

Ils fouillèrent dans leur sacoche et lui remirent chacun une pastille (une rouge, une jaune et une bleue). Le roi les avala et se tourna vers Maître Chacha.

— Eh bien ?

Le Grand Chambellan applaudit :

— Les poils retrouvent leur aspect normal, Sire.

Le roi soupira de soulagement.

— Fort bien. Je vais enfin pouvoir m'occuper de choses sérieuses. Je dois goûter les gâteaux pour la Fête des pâtisseries.

Les Grands Médecins s'impatientaient derrière lui.

— Majesté, nous devons vous quitter. Beaucoup de patients à voir…

— … d'invalides à traiter…

— …de malades à soigner, quoi.

Maître Chacha les regarda s'en aller et murmura :

— Foi de Grand Chambellan, il y a du louche dans ce départ précipité.

8

À en perdre la boule

Le roi calma Maître Chacha.

— Vous êtes trop méfiant. Tenez, apportez-moi ma cape grenat. Ou plutôt non, ma cape rubis[1], je vais m'habiller.

Pendant que le Grand Chambellan s'exécutait, le roi se leva pour aller à la salle de bains.

BOUM !

Il tourna la tête. Quel était ce bruit ? Ne

---

1. *Grenat* et *rubis* sont deux sortes de rouge, du nom des pierres précieuses de cette couleur.

voyant rien, il voulut avancer, mais… impossible. Sa queue s'était coincée sous le lit. Bizarre. Le roi tira dessus jusqu'à ce qu'elle se libère. Il sursauta en l'apercevant. Le bout avait noirci, durci et grossi démesurément. Il ressemblait maintenant à un boulet de prisonnier ! Maître Chacha, qui était revenu, s'exclama :

— Ah ! Vous voyez. J'avais raison de m'inquiéter.

Le roi Léon hurla qu'on rattrape les Grands Médecins.

Ceux-ci furent très embarrassés devant ce nouveau drame.

— Peut-être qu'un onguent ? suggéra le lama Juscul.

— … un baume ? proposa le lama Nivel.

— … une pommade, quoi ? avança le lama Tantaline.

Le roi rugit :

— N'importe quoi pourvu que ma queue redevienne comme avant. Sans quoi, le palais comptera trois autres Grands Balayeurs.

Les lamas se dépêchèrent de frotter la queue avec leurs préparations.

Vingt minutes plus tard, la fâcheuse infirmité du roi n'était plus qu'un mauvais souvenir.

— Voilà, Sire. Vous êtes content ?

Le roi maugréa :

— Oui, s'il ne m'arrive pas une autre cala… calala… calalala… tchoum !

— Une calalatchoum ?

— Une cala*b*ité. Ça y est, j'ai de *d*ouveau le rhu*b*e. Cela *d*e fi*d*ira donc ja*b*ais ?

La Grande Infirmière surgit comme par hasard à cet instant.

— Moi, je peux vous guérir, Majesté.

Le roi soupira.

— *D*on, *d*on, pas de tisa*d*e au citron.

— Une toute petite tasse.

— Pas question.

— Pourquoi ?

— Tout sauf du citron, c'est trop sur.

— Vous avez dit « tout » ? Alors, j'ai ce

qu'il faut ! Je cours le chercher immédiatement.

Le roi Léon se mordit les lèvres. Il avait
parlé trop vite. Le diable savait ce que la
Grande Infirmière allait lui faire avaler !

9

La tisane au nortic

Dame Kafé tenait à la patte un bol plein de liquide fumant. Le roi l'examina avec méfiance.

— Qu'est-ce que c'est?

— De la tisane au nortic.

— Du *d*ortic? Je *d*'en *d*'ai ja*b*ais entendu parler.

— C'est un fruit très rare. La grippe n'y résiste pas.

— Très bien, do*dd*ez-le *b*oi.

— Je ne sais pas si c'est une bonne idée, Sire.

— Pourquoi ?

— Parce que c'est beaucoup plus sur que du citron.

— Impossible.

— Vous aurez l'impression que votre bouche rapetisse à l'intérieur.

— Sûre*b*ent pas autant qu'avec du citron. Do*dd*ez-*b*'en, je vous l'ordo*dd*e.

— Si vous insistez.

Dame Kafé lui remit la potion. Le roi la goûta prudemment. Il faillit cracher tellement c'était sur, mais il ne voulait pas qu'on le prenne pour une mauviette[1].

— Vous exagérez, Dame Kafé. Cette tisane n'est pas si terrible que ça.

_____

1. Un peureux.

— Vous croyez ?

— Puisque je vous le dis. Et écoutez ! Je parle de nouveau correctement. Fantastique.

Le roi en but encore.

— Cette tisane est décidément meilleure que celle au citron. Comment appelez-vous ce fruit déjà ?

— Du nortic.

— Jamais entendu parler.

— C'est parce qu'il n'existe pas, Majesté. Nortic est « citron » écrit à l'envers.

— Je ne vous crois pas. Si c'était du citron, je m'en serais aperçu.

— Je vous le jure, Sire. Vous vous attendiez à quelque chose de si mauvais qu'en fin de compte, le citron vous a paru bon. N'est-ce pas ?

Le roi Léon était trop gêné d'avouer qu'il avait menti.

— Euh… « bon » est un bien grand mot.

— Et votre grippe a disparu.

— C'est vrai.

— Ah ! Vous voyez.

Le roi baissa la tête et dit tout bas :

— Dame Kafé, au prochain rhume, je vous promets de boire immédiatement un grand… euh un petit bol de tisane.

— Sage décision, Sire.

Le roi Léon ne précisa pas qu'il détestait toujours autant le citron. Il pensait simplement que, au palais, mieux valait se promener avec une bouche minuscule à l'intérieur qu'avec un plat de nouilles sur la tête et un boulet noir à l'extrémité de la queue !

Est-ce vrai ?

Non, le froid ne tue pas les microbes : il les endort. Quand la température baisse, le microbe se transforme en une petite boule très résistante appelée spore. La spore donnera naissance à un nouveau microbe dès que la chaleur reviendra.

Oui, les médicaments causent parfois des réactions inattendues. Ainsi, un médicament peut guérir une maladie et en même temps donner mal à la tête. C'est ce qu'on appelle un effet secondaire. Cependant, jusqu'à présent, aucun médicament n'a encore fait pousser de spaghettis sur la tête !

Non, le citron ne guérit pas le rhume. Toutefois, ce fruit renferme beaucoup de vitamines. La vitamine C fortifie le corps et l'aide à mieux combattre la maladie.

Oui, la bouche rapetisse à l'intérieur quand on mange du citron ! Enfin, pas tout à fait. Le citron et d'autres substances forcent les cellules vivantes à se serrer de plus près les unes les autres. C'est pourquoi on a l'impression que la bouche « rétrécit ». On se sert de cette propriété pour cicatriser les blessures ou diminuer les sécrétions, par exemple pour soigner les coupures ou la diarrhée.

MISE EN PAGES ET TYPOGRAPHIE :
LES ÉDITIONS DU BORÉAL

ACHEVÉ D'IMPRIMER EN SEPTEMBRE 1999
SUR LES PRESSES DE L'IMPRIMERIE AGMV MARQUIS
À CAP-SAINT-IGNACE (QUÉBEC).